6 这是我的书 It's MY BOOK 6级：300字

阿凡提种金子

作者：程以克（Vicki Cheng）
插图：陶红亮（Honglian Tao）

北京语言大学出版社
BEIJING LANGUAGE AND CULTURE UNIVERSITY PRESS

PHOENIX TREE
PHOENIX TREE PUBLISHING INC.

识读 种 长出 笑 嘴 拿 送

句型 ……怎么会……

字数 323字

cóng qián yǒu gè guó wáng lǎo shì qiǎng rén men de qián ràng dà jiā
从前有个国王老是抢人们的钱，让大家
shēng huó de hěn bù hǎo dāng shí yǒu gè cōng ming rén jiào ā fán
生活得很不好。当时有个聪明人叫阿凡
tí xiǎng le yí gè hǎo bàn fǎ lái duì fu zhè ge guó wáng
提，想了一个好办法来对付这个国王。
yì tiān ā fán tí zài shā dì li máng zhe guó wáng zhèng hǎo
一天，阿凡提在沙地里忙着，国王正好
lù guò wèn ā fán tí nǐ zài máng shén me ne
路过，问：“阿凡提，你在忙什么呢？”

ā fán tí shuō wǒ zài zhòng jīn zi jīn zi
阿凡提说：“我在种金子！”金子
shì guó wáng zuì ài de dōng xi le tā gāo xìng de
是国王最爱的东西了，他高兴地
wèn nǐ de jīn zi zhǎng de zěn me yàng le
问：“你的金子长得怎么样了？”

ā fán tí shuō jīn tiān gāng zhòng xia guò jǐ tiān
阿凡提说："今天刚种下，过几天

jiù huì zhǎng chu jīn zi lai guó wáng tīng le xiào
就会长出金子来。"国王听了，笑

de zuǐ dōu hé bu shàng le
得嘴都合不上了。

guó wáng shuō qīn ài de ā fán tí nǐ bǎ wǒ
国王说：“亲爱的阿凡提，你把我
de jīn zi yě ná qu zhòng ba bú guò zhǎng chu
的金子也拿去种吧！不过，长出
lai de jīn zi fēn chéng shí fèn wǒ ná bā fèn nǐ
来的金子分成十份，我拿八份，你
ná liǎng fèn
拿两份。”

guó wáng xiān gěi le ā fán tí yì xiē jīn zi jǐ tiān
国王先给了阿凡提一些金子，几天
hòu ā fán tí bǎ zhǎng chu lai de shí jǐ jīn jīn
后，阿凡提把“长出来”的十几斤金
zi gěi guó wáng sòng qu guó wáng tè bié kāi xīn yòu gěi
子给国王送去。国王特别开心，又给
le ā fán tí hěn duō jīn zi ràng tā zài qù zhòng
了阿凡提很多金子，让他再去种。

yòu guò le jǐ tiān ā fán tí kōng zhe shǒu qù jiàn
又过了几天，阿凡提空着手去见

guó wáng bù hǎo le tiān yì zhí bú xià yǔ
国王：“不好了！天一直不下雨，

jīn zi dōu gān sǐ le guó wáng tīng le dà jiào
金子都干死了。”国王听了大叫：

hú shuō jīn zi zěn me huì gān sǐ ne
“胡说！金子怎么会干死呢？”

ā fán tí shuō jīn zi néng zhǎng chu lai yě huì
阿凡提说："金子能长出来，也会
gān sǐ a jiù xiàng xiǎo cǎo méi yǒu shuǐ yě huì gān
干死啊！就像小草没有水也会干
sǐ nà yàng ài jīn zi de guó wáng tīng le qì
死那样。"爱金子的国王听了，气
de shuō bu chū huà lai
得说不出话来。

1 从前有个国王老是抢人们的钱，让大家生活得很不好。当时有个聪明人叫阿凡提，想了一个好办法来对付这个国王。一天，阿凡提在沙地里忙着，国王正好路过，问："阿凡提，你在忙什么呢？"

2 阿凡提说："我在种金子！"金子是国王最爱的东西了，他高兴地问："你的金子长得怎么样了？"

3 阿凡提说："今天刚种下，过几天就会长出金子来。"国王听了，笑得嘴都合不上了。

4 国王说："亲爱的阿凡提，你把我的金子也拿去种吧！不过，长出来的金子分成十份，我拿八份，你拿两份。"

5 国王先给了阿凡提一些金子，几天后，阿凡提把"长出来"的十几斤金子给国王送去。国王特别开心，又给了阿凡提很多金子，让他再去种。

6 又过了几天，阿凡提空着手去见国王："不好了！天一直不下雨，金子都干死了。"国王听了大叫："胡说！金子怎么会干死呢？"

7 阿凡提说："金子能长出来，也会干死啊！就像小草没有水也会干死那样。"爱金子的国王听了，气得说不出话来。

1
2
3
4
5
6
7
看图讲故事